Paul Thiès

Mistéir ar Bord

Caibidil 1

Tá an t-órchiste tagtha!

Bíonn saol breá ag foghlaithe mara óga. Bailíonn siad sliogáin, boinn airgid déanta as seacláid agus, fiú, boinn óir — nuair a bhíonn a gcuid tuismitheoirí, na foghlaithe mara móra, ag cuardach órchistí.

Agus chomh maith leis sin, itheann

siad siorc rósta ar an Domhnach. Ach ó am go chéile bíonn foghlaithe mara beaga neirbhíseach, go háirithe nuair a bhíonn deartháir nó deirfiúr nua ar an mbealach. Sin é go díreach a tharla do Chleite, mac an chaptaein chlúitigh Plúr. Bhí sé go sona sásta ag ithe a chrosóige mara nuair a thug a chuid tuismitheoirí féachaint shásta ar a chéile.

'A pháistí, tá dea-scéala againn daoibh,' a dúirt máthair Chleite. 'Is gearr go mbeidh deartháir nó deirfiúr nua agaibh.'

'Céard a dúirt tú?' a bhéic Cleite, agus dearmad déanta aige ar a chrosóg mhara.

'Ach ní féidir!' a bhéic Éclair. Bhí Éclair bliain níos óige ná é.

'Agus cén fáth nach féidir?' a d'fhiafraigh an Captaen Plúr di.

'Ná habraigí go bhfuil éad oraibh,' a dúirt Mama.

'Níl,' a dúirt Cleite. Ach, i ndáiríre, bhí.

'Ní bheimid in ann teacht ar ainm don leanbh,' a dúirt Éclair.

Ainmneacha cácaí, dár ndóigh, a bhí ar Mhuintir Phlúir ar fad: Bairín an deartháir is sine, Toirtín an deirfiúr is sine, Caiscín (a dtugann siad ar fad Cleite air, mar go bhfuil sé beagáinín tanaí) agus, an deirfiúr is óige, Éclair. Báicéir ba ea an Captaen Plúr sula ndeachaigh sé sna foghlaithe mara. Bhí tóir chomh mór aige ar an bhfarraige gur dhíol sé a bhácús chun a long a cheannach, *An Bolg Lán*.

'Ná bíodh imní oraibh, táim cinnte go gcuimhneoimid ar ainm deas don leanbh,' a dúirt Mama.

D'imigh na tuismitheoirí chun a

scíth a ligean sa chábán. Bhí tuirse ar Mhama go minic mar go raibh sí ag súil. Agus bhí an Captaen Plúr ag tabhairt aire di.

Thóg Bairín áit a athar ag an stiúir

fad is a bhí Toirtín agus Juanito, buachaill loinge an *Bhoilg Láin,* ag dul siar ar a gcuid ceachtanna tíreolaíochta — ábhar an-tábhachtach do na foghlaithe mara. Bhí an bheirt ag tabhairt féachaintí grámhara ar a chéile agus ag labhairt le chéile go grámhar, mar ó d'fhág Juanito a sheanmháistir, an bucainéir brúidiúil Féasóg Bhearrtha, bhí an bheirt chomh mór le chéile le dhá cholúr bhána!

Nuair a bhí sé sin ag tarlú, bhí Cleite

agus Éclair ina suí faoin gcrann seoil.

'Níl mise ag iarraidh leanbh anseo,'

a dúirt Cleite go clamhsánach.

'Bhí an ceart ag Mama,' a dúirt Éclair. 'Tá éad ort!'

'Nach bhfuil éad ortsa?' a d'fhiafraigh Cleite di.

Lig Éclair osna aisti agus chrom sí a ceann. 'Tá,' ar sí, 'ach ag an am céanna tá áthas orm. Táim cinnte go mbeimid ar fad an-mhór leis an leanbh.'

Baintear preab as Cleite agus Éclair. Is gearr go mbeidh deartháir nó deirfiúr nua acu.

Caibidil 2

Buachaill nó Cailín?

Tá Mama Plúr ag iarraidh go mbeidh *An Bolg Lán* chomh glan leis an gcriostal roimh bhreith an linbh.

'Tá mé ag iarraidh go mbeidh an long glan ó bhall go post*,' a d'ordaigh sí.

Cé go raibh ar Chleite agus Éclair an deic a ghlanadh gach deich nóiméad, ní dúirt siad focal.

Bhí Mama chomh neirbhíseach gur bhagair sí iad a chaitheamh chuig na siorcanna dá bhfeicfeadh sí oiread is spota amháin ar an deic!

Tháinig cairde Chleite, Péarla agus Crúca Beag, ar cuairt orthu, agus thug siad cúnamh dóibh an deic a sciúradh. Mac leis an bhfoghlaí mara fíochmhar Féasóg Fhionn agus leis an mbucainéir mná, Caitlín an Choncair ba ea Crúca Beag. Bhí triúr deirfiúracha móra aige, ach ní raibh aon leanbh ar an long acu sin. Iníon le rí na gcanablach ba ea Péarla. Páiste aonair a bhí inti agus ní raibh aici ach a pearóid Cócó le spraoi a dhéanamh léi.

'Tá an t-ádh leat, a Chleite,' a dúirt

sí. 'Ba bhreá liomsa deirfiúirín bheag a bheith agam.'

'Céard? Deirfiúr? Seafóid!' a bhéic Cleite. 'Tá súil agam gur deartháir a bheidh ann!'

'Tá súil agamsa freisin,' a dúirt Crúca Beag.

'Deartháir? Nach fearr i bhfad na cailíní!' a dúirt Péarla agus Éclair as béal a chéile. 'Is cinnte gur cailín a bheidh sa leanbh!'

Bhí sé ina throid eatarthu ansin. Buachaill ab fhearr le Cleite agus Crúca Beag, agus cailín ab fhearr le Péarla agus Éclair. Bhí sé ina réabadh — mar a bhíonn i gcónaí i measc na bhfoghlaithe mara!

Bhí Flic-Flac, peata deilf Chrúca Bhig, ag snámh thart ar an long agus é ag iarraidh a dhéanamh amach céard a bhí ar bun acu. Léim sé go hard as an bhfarraige go bhfeicfeadh sé céard a bhí ag tarlú.

'Céard é an gleo seo ar fad?' Tháinig an Captaen Plúr amach as an gcábán faoi dheifir, agus Mama ina dhiaidh, agus bolg mór millteach uirthi. 'Nach bhfuil sibh in ann fanacht ciúin ar feadh deich nóiméad!'

Bhí náire ar Chleite agus a chairde.

'Bíodh ciall agaibh,' arsa an Captaen Cleite, 'tá an teachtaireacht fós le scríobh againn.'

'Cén teachtaireacht?' a d'fhiafraigh Cleite de.

'Litir ghalánta chun breith an linbh a fhógairt,' a mhínigh an Captaen Plúr dó.

'Litir? Agus cé chuige a sheolfaimid í?' a d'fhiafraigh Éclair de.

'Chuig do sheantuismitheoirí, agus chuig ár muintir ar fad agus ár gcairde.'

'Agus céard a scríobhfaimid inti?' a d'fhiafraigh Cleite, mar níl ainm mo dhearthháirín ar eolas againn fós.'

Cheartaigh Éclair é. 'Ainm mo dheir-fiúirín!'

'Éirigí as!' a d'ordaigh Mama. 'Inseoidh mise daoibh céard a scríobhfaidh sibh!'

'Tá an scríbhneoireacht go hálainn, nach bhfuil?' a dúirt Cleite.

'Tabharfaidh Rísín na litreacha chuig na foghlaithe mara eile,' a dúirt Mama.

Bhuail Rísín a chuid sciathán go bródúil, agus bhí na páistí ar fad an-sásta leis.

Imíonn Rísín chun an scéala a scaipeadh go bhfuil súil le hórchiste nua ar an *mBolg Lán*.

Caibidil 3

Cath Farraige

Le himeacht na laethanta bhí imní ag teacht ar Chleite. Ní raibh Rísín tagtha ar ais fós.

Tráthnóna amháin, tháinig ceo trom ar an bhfarraige.

Chuaigh Cleite a chodladh agus imní air. Bhí sé ag casadh is ag iompú ina leaba luascáin agus é ag brionglóideach faoi órchistí, ruathair loinge, agus chnámharlaigh ag iompar claimhte.

Go tobann, dhúisigh torann mór é de léim. Dhreap sé in airde ar an deic. A leithéid de thubaiste! Bhí piléar mór tar éis poll a chur sa seol mór!

Scaip an ceo agus chonaic Cleite go raibh trí long foghlaithe mara — *An Crochadóir, An Tubaiste*, agus *An tUafás* — cruinnithe timpeall ar long Mhuintir Phlúir.

Bhí *An Bolg Lán* i sáinn.

Baineadh geit as Cleite. Is í *An Crochadóir* long an Chaptaein Féasóg Bhearrtha. Is í *An Tubaiste* long Fheirdí Feargach na Farraige. Agus is í *An tUafás*

long Fheirdí Fíorfheargach na Farraige. Trí bhucainéir uafásacha!

Chuir an pléascadh an teaghlach ar fad ina suí agus chruinnigh siad ar an droichead.

'Céard atá uathu siúd?' a dúirt Éclair go faiteach.

'Níl a fhios agam,' a d'fhreagair an Captaen Plúr, agus d'fháisc sé gar dó féin í chun í a choinneáil sábháilte.

Leis sin, labhair duine de na foghlaithe mara trí challaire* leo.

'A Chaptaein Plúr, tabhair dúinn d'órchiste nó cuirfimid go tóin poill thú!'

Tháinig creathán ar Chleite nuair a

d'aithin sé glór gránna an Chaptaein Féasóg Bhearrtha.

'Órchiste?' arsa an Captaen Plúr. 'Cén t-órchiste?'

Dhírigh Cleite a ghloine féachana ar an *gCrochadóir* agus chonaic sé an phearóid Rísín agus é sáinnithe i gcás éin. Thuig sé an scéal ansin: Rug Féasóg Bhearrtha ar an bpearóid agus léigh sé an litir. Agus, tharla gurbh amadán é, níor thuig sé gur leanbh a bhí i gceist leis an órchiste sa litir. Cheap sé go raibh cófra lán le hór agus diamaint ar an *mBolg Lán* agus chuir sé fios ar bheirt fhoghlaithe mara eile le cabhrú leis é a ghoid.

'Scaoiligí!' a bhéic Féasóg Bhearrtha.

Chaith Muintir Phlúir iad féin anuas ar an deic, agus stróic naoi nó deich gcinn de philéir seolta an *Bhoilg Láin*.

Bhí an scéal go dona, an-dona, agus fiú níos measa fós. Bhí *An Bolg Lán*

sáinnithe, bhí Rísín ina phríosúnach, agus bhí Mama sínte ar a leaba sa chábán agus í ag geonaíl go ciúin. Bhí baol ann go saolófaí an leanbh i lár an chatha!

Creideann Féasóg Bhearrtha gur órchiste ceart atá san órchiste agus ionsaíonn sé an Bolg Lán chun an t-ór a ghoid.

Caibidil 4

Cleite ar an stiúir

Le titim na hoíche stop na foghlaithe mara ag ionsaí an bháid.

Thug an Captaen Plúr cuairt ar a bhean sa chábán.

Go himníoch, chuir sé fios ar na páistí.

'Tá sé seo uafásach,' a dúirt sé. 'Níl a fhios agam céard a dhéanfaimid.'

Bhí dath an bháis ar Éclair. Chrom Bairín a cheann go ciúin. Thóg Juanito lámh Thoirtín. Bhí deora le Cleite. Bhí cuma chomh brónach ar a athair agus bhí aiféala air nach raibh sé féin in ann cabhrú leis. Theann sé é féin suas lena athair agus rug sé greim láimhe air le misneach a thabhairt dó.

'Fan go bhfeicfidh tú, a Dheaide. Beidh gach rud ina cheart.'

D'fháisc an Captaen Plúr a lámh go teann. Ghortaigh sé sin Cleite beag-áinín. Thug sé féin agus Crúca Beag súil imníoch ar a chéile.

Maidin lá arna mhárach d'éirigh Cleite agus é ag méanfach. Níor chodail sé go maith. Ina chuid brionglóidí,

chonaic sé Féasóg Bhearrtha ag imirt mirlíní le cloigne. Chuimil sé a shúile agus chuala sé béic.

'A Chleite! A Chleite! Tá sé uafásach! Tá siad imithe!' a bhéic Éclair.

'Cé atá imithe?' a d'fhiafraigh Cleite di.

'Tá Péarla agus Crúca Beag imithe!'

'Imithe ón long?'

'Níl tásc ná tuairisc orthu! Agus tá Flic-Flac agus Cócó imithe freisin.'

'Ach ní fhéadfadh sé…' a dúirt Cleite.

Bhí a chara is fearr agus a ghrá geal tar éis imeacht air. Níor airigh sé chomh brónach riamh roimhe sin. Ach choinnigh sé siar na deora agus labhair sé go cineálta le hÉclair, mar bhí sise croíbhriste tar éis imeacht Chrúca Bhig.

Bhí *An Crochadóir, An Tubaiste,* agus *An tUafás* ag teacht níos gaire is níos gaire dóibh. Bhí Cleite in ann aghaidh-eanna na dtrí chaptaen a fheiceáil. Bhí siad ag gáire leo féin agus ag cuimilt a mbos dá chéile.

'Tugaigí dúinn an t-órchiste! a bhéic Féasóg Bhearrtha.

'Ní thabharfaidh!' a bhéic an Captaen Plúr.

'Troidfimid go dtí an deoir dheiridh,' a d'fhógair Cleite, agus a chlaíomh á bhagairt aige.

'Muintir Phlúir abú!' a bhéic Bairín agus é suite in airde ar an ngunna mór ab ansa leis.

Go himníoch, labhair Toirtín le Juanito. 'Féadfaidh tú snámh chomh

fada leis an *gCrochadóir*. Bhí tú ag obair uirthi cheana agus tógfaidh Féasóg Bhearrtha ar ais thú.'

'Ní shnámhfaidh,' a dúirt Juanito. 'Ní fhágfaidh mé go deo thú!'

Bhreathnaigh Cleite agus Bairín air go mórtasach. Nach breá an rud an grá!

'Caithfimid an long a chosaint,' a dúirt an Captaen Plúr. 'A Thoirtín agus a Juanito, dírigí na gunnaí atá ar bhord na heangaí.* A Bhairín agus a Éclair, dírigí na gunnaí atá ar bhord na sceathraí.* Agus tusa, a Chleite, tóg an stiúir.'

Las Cleite go bródúil. Bhí a athair á chur i mbun na stiúrach le linn catha farraige!

AN GÁLA

Fágann an Captaen Plúr an stiúir faoi Chleite agus téann sé féin i mbun chosaint an *Bhoilg Láin*.

Caibidil 5

Tá an t-órchiste slán!

Bhí an scéal ag éirí níos measa. Bhí baol ann go gcuirfeadh piléar mór eile *An Bolg Lán* go tóin poill. Ach go tobann, agus a dhá láimh ar an stiúir, lig Cleite béic as:

'Hurá! Táimid slán!'

Bhí *An Spéirling*, long an Chaptaein Féasóg Fhionn, agus *An Gála*, long

Chaitlín an Choncair, ag seoladh i dtreo an *Bhoilg Láin* agus thart timpeall ar an dá long bhí báid iomartha lán le trodairí fíochmhara dorcha, agus sleá nó scian ghéar ag gach duine acu. Báid na gcanablach! Phreab Cleite le háthas. Níor lig Crúca Beag agus Péarla síos iad, ach a mhalairt. Is ag iarraidh cúnaimh a d'imigh siad ar mhuin Fhlic-Flac.

Scaoil *An Spéirling* agus *An Gála* rois philéar le báid an namhad.

Maidir leis na canablaigh, bhagair siad a gcuid arm ar an namhaid, agus chan siad:

Is maith linn daoine dána,
Is breá linn a gcosa is a lámha!
Cuirfimid im agus salann orthu
Agus canglóimid na cnámha!

'Bíodh misneach agat, a Chleite, tá an

lá linn! a bhéic Crúca Beag. Bhí sé ar chrannóg* an *Ghála*. Thíos faoi, bhí Flic-Flac ag preabadh sna tonnta thart timpeall ar an long.

'A Chleite, tá mise anseo,' a bhéic Péarla ón gcrann spreoide* ar an mbád ba mhó.

'Hurrrá! Hurrrá! Tá sé ina chath farrr-aige!' a bhéic Cócó, agus í ina seasamh ar chloigeann Phéarla.

Thit an tóin as Féasóg Bhearrtha, Feirdí Feargach agus Feirdí Fíorfhearg-ach. Rinne siad dearmad go sciobtha ar an órchiste. Chroch siad a gcuid seolta agus d'imigh siad. Bhí *An Bolg Lán* slán.

Cúpla nóiméad ina dhiaidh sin,

d'fháisc Cleite a dhá láimh timpeall ar Phéarla, agus d'fháisc Éclair a dhá láimh thart ar Chrúca Beag. Ghlac an Captaen Plúr buíochas le Féasóg Fhionn, le Caitlín an Choncair, agus le Rí na gCanablach. Bhí ceann de na piléir mhóra tar éis cás Rísín a bhriseadh, agus bhí Rísín ag eitilt thart in éineacht le Cócó.

Thuirling an dá éan ar shrón Fhlic-Flac agus é ag damhsa ar bharr na farraige.

Ach go tobann ligeadh béic ó chábán Mhama Plúr.

'Céard a bhí ansin?' a d'fhiafraigh Féasóg Fhionn.

'Tá an leanbh ag teacht,' a bhéic Caitlín an Choncair.

Rith sí chuig an gcábán. Bhí an Captaen Plúr i ngreim sa chrann seoil agus dath an bháis air.

'A Dheaide, nach bhfuil tú ag iarr-aidh Mama a fheiceáil?' a dúirt Cleite.

'Níl mé in ann. Táim trína chéile,' a dúirt an Captaen Plúr, agus é ag creathadh go faiteach.

Rug Cleite greim láimhe ar a athair chun misneach a thabhairt dó. Bhí gach duine ciúin. D'fhan Muintir Phlúir agus a gcuid cairde go foighneach, a gcroí ag bualadh.

Ansin, tháinig Caitlín an Choncair ar ais ar an deic agus í ag fógairt os ard:

'Dea-scéala!'

'Bhuel? An buachaill atá ann?' a d'fhiafraigh Cleite di.

'Cailín?' a d'fhiafraigh Éclair.

'Cailíní,' a d'fhreagair Caitlín an Choncair. 'Cúpla!'

'Hurá!' a bhéic Éclair.

'Ó bhó go deo!' a dúirt Cleite. 'Anois beidh dhá ainm chácа ag teastáil!'

Bhí Cleite ag tochas a chinn, agus é

ag smaoineamh chomh géar sin gur tháinig deatach as a chluasa. Lig sé béic ar deireadh:

'Tá sé agam! Tabharfaimid Sodóg agus Bonnóg ar an dá leathchúpla!'

❶ An tÚdar

I Strasbourg i 1958 a rugadh **Paul Thiès**. Agus ní faoi chabáiste a tháinig sé ar an saol, ach faoi chrann seoil. Taistealaí mór é Paul Thiès. Tá na seacht bhfarraige agus na cúig mhuir seolta aige. Tá taisteal déanta aige ar ghaileon Airgintíneach, ar charbhal Spáinneach, ar shiunc Seapáineach, ar shiaganda Veiniséalach, agus ar ghaileon órga Meicsiceach — gan trácht ar bháidíní aeraíochta na Seine i bPáras, ná ar thrálaeir na Briotáine. Saineolaí é ar fhoghlaithe mara, ar mhairnéalaigh, ar bhráithreachas an chósta, agus go deimhin ar fhánaithe de gach uile chineál. Ach is é Cleite is ansa leis.

Mar sin, bon voyage agus gach uile dhuine ar deic!

❷ An tEalaíontóir

Louis Alloing

"Bhí an fharraige os comhair mo dhá shúl i gcaitheamh mo shaoil. I Rabat i Maracó ó 1955, agus ansin i Marseille na Fraince, nuair a bhreathnaigh mé amach ar an Meánmhuir chuimhneoinn ar oileáin bheaga, ar thonnta beaga, ar fhoghlaithe mara beaga — agus ar bholadh breá an tsáile. Díreach cosúil leis an Muir Chairib, agus le farraigí Chleite agus Phéarla.

Anois i bPáras, scoite amach ó sholas na Meánmhara agus ó dhromchla gorm na farraige, bím ag tarraingt pictiúr ar pháipéar. Ligim do thonnta na samhlaíochta mé a thabhairt ar lorg Chleite is a chomrádaithe. Níl sé éasca, bíonn siad de shíor ag gluaiseacht! Obair mhór iad a leanúint, agus mé i ngreim i mo pheann mar a bheadh Cleite i ngreim ina chlaíomh. Eachtra mhór le foghlaithe mara beaga!"

Clár